名桜大学やんばるブックレット 5

やんばるとオリンピック

大峰光博　編

神谷義人／大峰光博

JN113229

公立大学法人
名桜大学
MEIO UNIVERSITY

やんばるとオリンピック　●　もくじ

序　章

岐路に立つオリンピック開催とレガシー

　2017（平成 29）年 9 月 13 日，リマ（ペルー）で開かれた国際オリンピック委員会（ＩＯＣ）131 次総会において，2024 年夏季オリンピックがパリ（フランス），2028 年夏季オリンピックがロサンゼルス（アメリカ）で開催されることが決定しました（朝日新聞，2017a）．パリでの開催は 1900（明治 33）年と 1924（大正 13）年以来，ロサンゼルスでの開催は 1932（昭和 7）年と 1984（昭和 59）年以来となり，ともにロンドンと並び最多の 3 度目の開催となりました．2024 年大会のパリ開催をご存知だった方は多いかもしれませんが，2028 年のロサンゼルス開催については，把握されていなかった方も多いのではないでしょうか？そもそもオリンピックの開催都市は，開催から 11 年も前に決定されるのでしょうか？

　2020（令和 2）年に開催される東京オリンピックは，2013（平成 25）年にブエノスアイレス（アルゼンチン）で開かれたＩＯＣ総会で決定されました（産経新聞，2013a）．現在にわたって，開催が決定した際の映像はメディアを通して流れています．通常は，オリンピック競技大会の開催 7 年前に開催都市が決定されます．パリとロサンゼルスの開催が決定した当時のオリンピック憲章第 33 条には，開催都市の選定について以下のように記されていました（日本オリンピック委員会，online）．

　33 条　開催都市の選定

1. 開催都市の選定はＩＯＣ総会の特権である．
2. ＩＯＣ理事会は，総会で開催都市選定が行われるまでの手続きを定める．特別な事情を除き，そのような選定はオリンピック競技大会の開催 7 年前に行われる．
3. 立候補申請都市の国の政府は，国とその公的機関がオリンピック憲章を遵守すると保証する法的に拘束力のある証書をＩＯＣに提出しなければならない．
4. 開催都市の選定は，当該オリンピック競技大会の開催に立候補している都市が存在しない国で行う．

　注目していただきたいのは，2項の「特別な事情を除き，そのような選定はオリンピック競技大会の開催7年前に行われる」という箇所です．原文は，"Save in exceptional circumstances, such election takes place seven years before the celebration of the Olympic Games" になります．「特別な事情（exceptional circumstances）」があったゆえに，2028年オリンピックが11年前のIOC総会において，ロサンゼルスに決定しました．「特別な事情」とはいかなるものであったのでしょうか？

　当初，2024年大会にはパリとロサンゼルスを含む5都市が立候補していました（朝日新聞，2017a）．他の3都市は，ローマ（イタリア），ハンブルク（ドイツ），ブダペスト（ハンガリー）になります．巨額の費用負担に対する住民の反発などを理由に，ローマ，ハンブルク，ブダペストが撤退し，パリとロサンゼルスのみが残る形になりました．従来通りに，オリンピック開催の7年前に開催地を選ぶ手続きを進めた場合，敗れた側の都市が2028年大会に挑戦しない可能性もありました．近年の招致熱の冷え込みに危機感を募らせたIOCは2都市を振り分け，28年大会の開催都市も同時に決める方針に切り替えました．IOC総会にはIOC委員94人のうち85人が出席し，投票ではなく挙手で採決を行い，満場一致で決定しました．2大会の開催都市が同時に決まるのは96年ぶりになります．このような「特別な事情」がありました．

　オリンピックの招致活動の際には，必ずといっていいほど，オリンピック開催による経済効果が示されます．東京オリンピックが決定する前の2013（平成25）年2月には，観光客増やオリンピック関連商品の売り上げ，テレビの買い替えなど家計消費分も含め，直接的な需要増は1兆2239億円，さらに民間投資を加えての最終的な効果は全国で3兆円と東京都などが試算したと報道されました（読売新聞，2013）．経済効果の内訳は，ホテルなどサービス部門の効果で最も大きく6510億円，競技場新設などで建設部門は4745億円，新たに15万人分の雇用が生み出されるとされました．また，

各国の代表チームが全国各地で事前合宿を行うことなどから，東京以外の経済効果は1兆3000億円に上るとも報じられました．

　東京オリンピックが決定した際には，大和証券の木野内栄治氏は，東京オリンピックの経済効果を150兆円以上としました（産経新聞，2013b）．木野内氏は観光業の拡大が牽引役になり，国内総生産（GDP）に占める観光業の比率が5％から10％に倍増し，95兆円の経済効果を生むと試算しました．道路整備など政府のインフラ投資でも，55兆円の経済効果が出ると述べました．

　しかしながら，これまでに少なくない国や都市がオリンピック招致活動から撤退した状況を鑑みると，以上のような試算が現実の状況とかけ離れたものであると言わざるを得ません．以下に経済学者であるジンバリストによって作成された，開催地に立候補する都市数の減少に関する表を引用しました．

　ピョンチャンオリンピックでは，日本選手の活躍に多くの人びとが一喜一憂しましたが，次回の2022年冬季オリンピックが北京（中国）で開催されることを，ピョンチャンオリンピックの閉会式時に知った人も少なくないでしょう．その際に，2008（平成20）年に北京オリンピックが開催されてから間もないのに，また北京でオリンピックを行うの？と感じた人もいるのではないでしょうか．2022年の冬季オリンピックが北京に決定したのは，開催地に立候補する都市数の減少が大きく影響しています．

　2022年の冬季オリンピックの開催にあたって，当初は8つの都市が興味を示していました（朝日新聞，2014）．アルマトイ（カザフスタン），オスロ（ノルウェー），ストックホルム（スウェーデン），クラクフ（ポーランド），リビウ（ウクライナ），ミュンヘン（ドイツ），サンモリッツ（スイス），そして北京の8つです．ミュンヘンとサンモリッツは，立候補締め切り前の住民投票で反対票が上回り，立候補を断念しました．次いで，ストックホルムとクラクフは財政負担への懸念などから撤退し，また，ロシアとの紛争で政情が不安なリビウも招致を見送りました．クラクフにおいても招致の是非を問う住民投票が実施され，反対票が全体の7割近くを占めました（毎日新聞，

表1　オリンピック開催地に立候補する都市数の減少

入札年	開催年	開催地	立候補都市数	候補都市数
夏季大会				
1997	2004	アテネ	12	5
2001	2008	北京	10	5
2005	2012	ロンドン	9	5
2009	2016	リオデジャネイロ	7	4
2013	2020	東京	5	3
冬季大会				
1995	2002	ソルトレイクシティ	9	4
1999	2006	トリノ	6	2
2003	2010	バンクーバー	7	3
2007	2014	ソチ	7	3
2011	2018	ピョンチャン	3	3

（ジンバリスト，2016）から引用

2014）.

　ＩＯＣの理事会は 2014（平成 26）年 7 月 7 日，2022 年冬季オリンピック招致の第 1 次選考を行い，招致レースに残ったアルマトイ，オスロ，北京のすべてを，候補都市として承認しました（読売新聞，2014）. しかしながら，2014（平成 26）年 10 月 1 日，オスロは招致から撤退する方針を明らかにしました（産経新聞，2014）. ノルウェー政府が巨額の開催費などを理由に，財政保証を承認しなかったためです.

　2015（平成 27）年 7 月 31 日，2022 年冬季オリンピックは，北京がアルマトイを破って開催都市に選ばれました（毎日新聞，2015）. 得票数は北京 44 票に対し，アルマトイが 40 票でした. 毎日新聞は両都市とも大気汚染や人権問題と課題が多く，ＩＯＣの苦渋の決断であったと述べました.

　さらには，2026 年の冬季オリンピック開催にあたって，札幌市が招致レースから撤退しました（朝日新聞，2018）. 北海道で起きた地震の被害が影響しましたが，地震がなかったとしても，札幌市は撤退の意志を固めていました. 市民の招致熱が高まらず，地元では 2030 年の冬季オリンピック招致に

切り替えるべきだとの意見が大勢を占めていました（毎日新聞，2018）．招致から撤退した都市は，札幌市だけではありません．6月にはスイスのシオンが，7月にはオーストリアのグラーツがオリンピック招致を断念しました．これまでの撤退事例と同様に，住民が高騰する開催経費に反発したためです．2019（令和元）年6月24日，ＩＯＣ総会の投票でイタリアのミラノ・コルティナダンペッツォが，スウェーデンのストックホルム・オーレを上回り，開催地に選出されました（朝日新聞，2019）．招致から撤退した都市が相次いだことから，イタリアとスウェーデンの一騎打となりました．

　莫大な人的・物的資源が投入され，負の遺産（レガシー）を生むオリンピックの存在意義は大きく揺らいでいます．多くの国や都市がその点に気づいたからこそ，オリンピック招致レースから撤退する事例が相次いでいます．このように岐路に立つオリンピック開催ですが，素晴らしいレガシーを生んだオリンピック大会が存在します．1964（昭和39）年に日本で初めて開催された東京オリンピック大会は，大きなレガシーを生んだとメディアで報じられる機会は少なくありません．しかしながら，1964（昭和39）年の東京オリンピック大会は，期待されたような経済効果は起こりませんでした．1964（昭和39）年10月22日付の朝日新聞の夕刊では，「から振りの五輪商戦」，「渋かった外人観光客」という見出しが躍りました（朝日新聞，1964）．記事では，新宿の商店街で働く人々の声が紹介されています．外国人観光客が来ないばかりでなく，日本人の客が減って大損を被ったと伝えられています．銀座においても，売り上げが平年の10月の2割から3割減とみている店が多く，皆がテレビにかじりついたためにお店が閑散としたという，商店主の声も紹介されています．人々がテレビにくぎ付けになることによって，映画館，書店，遊園地に人が集まらないという事態も生じました（日本経済新聞，1964）．中野にある映画館の支配人の声も紹介され，オリンピックが始まってからは客が集まらず，早く終わってほしいというのが正直の気持ちであると伝えられています．

　このように経済効果の期待が空振りに終わることは，1964（昭和39）年

の東京オリンピック大会においてのみ生じた特異な現象ではありません．北京オリンピックが開催された 2008（平成 20）年に中国を訪れた外国人観光客数は 2430 万人であった一方，2007（平成 19）年に訪れたのは 2610 万人でした（ジンバリスト，2016，p.80）．大会期間中のホテル利用率も，前年に比べて減少しました（ジンバリスト，2016，pp.80 ‐ 81）．中国のみならず，2000（平成 12）年にオリンピックを開催したシドニーや，2004（平成 16）年にオリンピックを開催したアテネも，開催期間に見込んでいた外国人観光客は実際には訪れませんでした．

　巨大イベント開催中は自国や自都市に人が溢れ，物価が高くなるため，国外で休暇を取ろうと考える人々がいます（ジンバリスト，2016，p.64）．2008（平成 20）年は，中国からの国外旅行者数は 12％増加しました．2018（平成 30）年のピョンチャンオリンピックの際に，開催地での物価の高騰やぼったくりについて報道されたことは記憶に新しいところです．

　ジンバリストは「知っておかなければいけないことは，オリンピックが自動的に観光客の増加につながるという考え方は短絡的すぎて危険だということだ」（ジンバリスト，2016，p.83）と指摘しています．さらにジンバリストは，オリンピックの開催が経済発展を後押しするという繰り返される主張には実証的な裏付けはなく，次のように述べています．

　短期的に見ると，開催の莫大なコストは大会でもたらされる些細な収入で埋め合わせられるものではない．もし利益というものがあるとすれば，それは長期的な視点で実現されるものだ．しかしそうした長期的・遺産的な利益すら，あるかどうかは疑わしい．遺産形成による利益とされるものの大半は質的に測られるものであり，量的に測れるものも範囲とする時間の幅がかなり長く，大会の数週間や事前の準備段階にまで遡って効果を測定することは難しい．…（中略）…大会最大の遺産といえば建設に何十億ドルもかかり，年間の維持費に数百万ドルもかかる使用用途のなくなったスタジアムであり，返済に 10 年から 30 年はかかる巨額の負債だ（ジンバリスト，2016，

12

p.154）

　パリとロサンゼルスでは，予算を抑えたコンパクト五輪が目指されています（朝日新聞，2017b）．パリの予算は約81億ドル，ロサンゼルスの予算は，約53億ドルとなっています．しかしながら，このような数値は信頼性に乏しいと言わざるを得ません．なぜなら，オリンピック開催都市の予算超過はどの都市にも見られ，当初予算の4倍から10倍以上になります（ジンバリスト，2016，pp.70‐71）．2020年の東京オリンピックの招致段階において約7340億円だった予算が，一時，約2兆円に膨張しました（毎日新聞，2017）．東京都知事や東京オリンピック・パラリンピック競技大会組織委員会会長のみならず，各自治体の首長がオリンピックの負担をめぐってせめぎ合いを行っていたことは記憶に新しいところです．また，マラソンと競歩競技の会場変更に伴う追加費用に関して，東京都，ＩＯＣ，東京五輪・パラリンピック組織委員会，政府による争いが生じたことも，メディアにおいて大きく取り上げられました．

　現在はこれまで以上に，オリンピックの不都合な真実が顕在化しています．今後のオリンピック開催は，岐路に立っていると言えるでしょう．しかしながら，これまでのオリンピックが負のレガシーばかりを残したわけではもちろんありません．本書で取り上げたいのは，1964（昭和39）年の東京オリンピック大会のレガシーです．上述のように，期待された観光客が訪れず，また，高速道路や国立競技場の建設に伴う環境破壊や住民の立ち退き，さらには，世界銀行からの借金といった負のレガシーは残りました（ジンバリスト，2016，p.7）．一方で沖縄にとっては負のレガシーが少ないにも関わらず，極めて大きな正のレガシーを残した大会であったと私は考えています．それは，沖縄が本土復帰を果たせない状況であったにもかかわらず，オリンピックの聖火が沖縄にやってきたことです．1章から3章において詳述しますが，オリンピックの聖火は沖縄に極めて大きなレガシーを残しました．

　本書では，1964（昭和39）年の東京オリンピック大会における沖縄での

聖火リレー, 特に, やんばるにおける聖火リレーについて掘り下げます. また, 現在にわたって, 多くのオリンピアン達が参加する自転車レースである「ツール・ド・おきなわ」についてもご紹介します. 無縁の存在であるように感じられる, やんばるとオリンピックの関係性について述べていきます.

参考引用文献

朝日新聞（1964）10 月 22 日　夕刊.

朝日新聞（2014）7 月 8 日　朝刊.

朝日新聞（2017a）9 月 14 日　夕刊.

朝日新聞（2017b）9 月 15 日　朝刊.

朝日新聞（2018）9 月 18 日　朝刊.

朝日新聞（2019）6 月 25 日　朝刊.

毎日新聞（2014）5 月 27 日　朝刊.

毎日新聞（2015）8 月 1 日　朝刊.

毎日新聞（2017）9 月 15 日　朝刊.

毎日新聞（2018）8 月 5 日　朝刊.

日本経済新聞（1964）10 月 19 日　夕刊.

日本オリンピック委員会. オリンピック憲章. file:///C:/Users/user/Desktop/olympiccharter2017.pdf（参照日 2018 年 4 月 30 日）.

産経新聞（2013a）9 月 9 日　夕刊.

産経新聞（2013b）9 月 10 日　朝刊.

産経新聞（2014）10 月 3 日　朝刊.

読売新聞（2013）2 月 28 日　朝刊.

読売新聞（2014）7 月 8 日　朝刊.

ジンバリスト：田端優訳（2016）オリンピック経済幻想論. ブックマン社.

1　章

沖縄での聖火リレーの実現

　1964（昭和39）年に東京でのオリンピック開催が決まった直後から，沖縄側は聖火リレーを沖縄で実施するよう，オリンピック東京大会組織委員会をはじめとする関係機関に強く働きかけてきました（豊見山，2007，p.28）．その当時，沖縄は米国施政権下にあり，日本の「潜在主権」が認められるに過ぎない領域でした．しかし，沖縄体育協会が1953（昭和28）年に日本体育協会の支部として承認を受けていたことが大きな根拠となり，1962（昭和37）年7月4日，聖火リレー特別委員会は，国内聖火リレーは全都道府県をカバーし，日本の最初の着陸地を沖縄とすることに決定しました．琉球新報の社説では，沖縄が聖火を迎える国内第一地点になり，本土同胞にさきがけて聖火を迎えることは沖縄の大きな誇りであると述べられました（琉球新報，1964b）．以下では，1964（昭和39）年に発刊された，沖縄タイムスと琉球新報の記事を中心に，沖縄での聖火リレーがどのように報じられたのかを見ていきます．

　聖火が到着する前の1964（昭和39）年7月，名護町東江・数久田・世冨慶の生徒会約100人が夏休みを利用して，聖火リレーのコースになっている東江から数久田までの約4キロに，キョウチクトウ570本，ブーゲンベリヤ10本を各地区長や父兄の協力のもとに植樹しました（沖縄タイムス，1964a）．聖火が通る各市町村では，沿道を花で飾る「花いっぱい運動」が展開されていきます．8月に入っては，北部農林高校生50人と大北区生徒会30人は，名護警察署前から大北区までの約3キロの聖火コースに植樹しました（沖縄タイムス，1964b）．

　金武村では聖火コース美化協議会を行い，村をあげて歓迎の態勢を整えることになりました（沖縄タイムス，1964c）．岡村村長を美化推進委員長とし，聖火コース美化，環境衛生，花いっぱい，聖火歓迎班の下部組織をもつことになりました．全村民が聖火を歓迎するために一日労働奉仕を行い，コースに面した不要物件の整理，街路樹の枝打ち，雑草の刈り取り作業を実施することになりました．また，聖火のシオリを各家庭に配布し，当日はリレーゾーンを花で飾り，村民は小旗や五輪旗で聖火を迎えることになりました．さら

には，聖火を記念して，村民一人記念植樹，オリンピック記念森，一人一鉢運動，公共施設の美化を行うことになりました．

　宿泊地である久志村では，7月に嘉陽小・中学校が中心となって鉢植えした百日草，けいとう，菊など約2500本の苗が，度重なる台風の余波で8月にはほとんど枯れてしまいました（沖縄タイムス，1964d）．しかしながら，生徒達はひるまず，約2500余りの花鉢を家庭の部屋に入れ，育てました．

　聖火が到着する1964（昭和39）年9月には，久志村は聖火コースの美化につとめ，当時の松永久志村長は「こうして一つの問題に村民が一体になったのはかつてない．この聖火の教訓はこんごの村政にも大きな石づえになろう」と述べています（琉球新報，1964a）．記念事業として手掛けられた嘉陽小・中学校前の「聖火宿泊碑」と校庭の「五輪の池」は，夏休みを返上した先生や生徒達の手で作られました．また，聖火の受け入れについては，久志村におけるキャンプ・シュワブの海兵隊も協力することになりました．久志村琉米親善委員会を通して実現されたものであり，ベッド200台，テント10基，さらには，インスタントシャワーが設置されることになりました．加えて，車の無線電話20台，無線付きジープ2台も提供されることになりました．

　沖縄への聖火到着が目前に迫った中，台風の影響によって到着が1日遅れることになりました（沖縄タイムス，1964e）．そのため，9月7日に那覇空港到着後，8日に久志村嘉陽までリレーし，聖火台へ点火した後に，聖火は「分火」されることが決まりました（沖縄タイムス，1964f）．聖火台から「分火」された聖火灯は，リレー車へのせて8日のうちに那覇まで運ばれ，9日に奥武山競技場で点火された後に那覇空港までリレーを行い，鹿児島に運ばれることになりました．一方で，嘉陽の聖火台で点火された聖火は，聖火灯に移して嘉陽中学校校長室に安置され，9日から予定されたコースをリレーされることになりました．11日の日航機で福岡へ運ばれ，九州でリレーされている聖火と「合火」されることが決定しました．嘉陽への一泊が変更される可能性があった中，予定どおり実施されるにあたり，嘉陽区民は胸をなでおろし，祝杯をあげました（琉球新報，1964c）．

写真 1　那覇空港　到着した聖火輸送機
【撮影日】1964 年 9 月 7 日　【アルバム】琉球政府関係写真資料　036

写真 2　那覇空港　到着した聖火輸送機
【撮影日】1964 年 9 月 7 日　【アルバム】琉球政府関係写真資料　036

写真3　那覇空港　到着を待つ空港ターミナルの人々
【撮影日】1964年9月7日　【アルバム】琉球政府関係写真資料　035

写真4　那覇空港　到着のセレモニー
【撮影日】1964年9月7日　【アルバム】琉球政府関係写真資料　036

　1964（昭和39）年9月7日正午，聖火を乗せた飛行機「シティ・オブ・トウキョウ」号が，台北から那覇空港に到着しました（琉球新報，1964d）．

　聖火空輸派遣団の高島文雄団長は，当間重剛沖縄聖火リレー実行委員長らに先導され，聖火灯を見守りながらタラップを降りました（沖縄タイムス，1964g）．ターミナルのベランダや屋上では，歓迎のために小中高生らが日の丸の旗をうち振りました（琉球新報，1964d）．

　空港での歓迎式典では，高島団長は「やっと『国土』に運んでまいりました」というメッセージを述べました（琉球新報，1964d）．当間重剛委員長は「ごくろうさま．わたしたち沖縄全住民が，記念すべききょうのこのときを待ち続けておりました」と，歓迎の挨拶を行いました．沖縄リレー実行委員会の米国代表であるウイリアム・ライリーも「『平和と友好の火』は沖縄の歴史の1ページをかざるもの」と挨拶しました．

　その後，観衆の見守る中で中島茂聖火担当官が聖火灯から聖火皿へ「五輪の火」を移し，さらに聖火皿からトーチに採火して高島団長に渡されました

写真5　那覇空港　到着のセレモニー
【撮影日】1964年9月7日　【アルバム】琉球政府関係写真資料　036

写真 6　那覇　奥武山陸上競技場　歓迎エキシビション　スタジアムの人々
【撮影日】1964 年 9 月 7 日　【アルバム】琉球政府関係写真資料　031

写真 7　那覇　奥武山陸上競技場
【撮影日】1964 年 9 月 7 日　【アルバム】琉球政府関係写真資料　031

（沖縄タイムス，1964d）．高島団長から当間委員長に引き継がれ，沖縄の第
一走者である宮城勇氏は当間委員長からトーチを受け取りました．拍手に送
られ，力強い一歩を踏み出しました．空港を後にし，奥武山競技場へ向かい
ました．沿道は日の丸の波となりました．

　聖火は，広報車，パトカー，白バイを先頭に正走者，副走者，随走者，役
員，救急車と続きました（琉球新報，1964d）．第1リレー隊は，那覇モーター
プール前で第2走者の上原武夫氏へトーチを点火しました（沖縄タイムス，
1964g）．奥武山野球場前で第3走者の宮城康次氏がトーチを受け継ぎ，奥
武山競技場へ入りました．聖火の入場を知らせる花火が打ち上げられ，盛大
な拍手に迎えられて聖火はグランドを一周し，宮城氏は聖火台の段上をのぼ
りました．宮城氏は聖火台の上で右手のトーチを高くかがけ，高らかに鳴る
ファンファーレとともに聖火台に点火しました．

写真8　那覇　奥武山陸上競技場　第一走者　点火
【撮影日】1964年9月7日　【アルバム】琉球政府関係写真資料　036

　聖火は激しく真っ赤に燃え上がり，万雷の拍手が続きました（沖縄タイムス，1964g）．仕掛け花火と 5 色の風船が秋空へ舞い上がりました．メインポールの五輪旗につづいて，君が代の吹奏に合わせて，日章旗と米国旗が掲揚されました．祝賀演技では，泊復興期成会 60 人による地ハーリー，国頭村北斗婦人会によるエイサー，さらにはマスゲームも行われました（琉球新報，1964d）．

参考引用文献

沖縄公文書館公式サイト．http://www.archives.pref.okinawa.jp/（参照日 2018 年 4 月 15 日）．

沖縄タイムス（1964a）7 月 31 日　夕刊．

沖縄タイムス（1964b）8 月 4 日　夕刊．

写真 9　那覇　奥武山陸上競技場　歓迎エキシビション　地ハーリー

【撮影日】1964 年 9 月 7 日　【アルバム】琉球政府関係写真資料　031

沖縄タイムス（1964c）8 月 13 日　朝刊.

沖縄タイムス（1964d）8 月 24 日　朝刊.

沖縄タイムス（1964e）9 月 5 日　朝刊.

沖縄タイムス（1964f）9 月 6 日　朝刊.

沖縄タイムス（1964g）9 月 7 日　夕刊.

琉球新報（1964a）9 月 4 日　朝刊.

琉球新報（1964b）9 月 5 日　朝刊.

琉球新報（1964c）9 月 6 日　朝刊.

琉球新報（1964d）9 月 7 日　夕刊.

豊見山和美（2007）オリンピック東京大会沖縄聖火リレー：1960 年代前半の沖縄にお
　　ける復帰志向をめぐって．沖縄県公文書館研究紀要，9：27-36.

2章

やんばるにおける聖火リレー

　9月8日の早朝に奥武山競技場を出発した聖火は，南部戦跡や中部，さらには，北部の厳しい山道を通って，午後5時15分に宿泊地である嘉陽に到着しました（琉球新報，1964a）．嘉陽では嵐のような拍手がわき，感激と興奮につつまれました．嘉陽は隣部落からの歓迎客や，内外の報道陣の取材者によってごったがえしていました．人口350人足らずの嘉陽に，3000人もの人達が集まりました（沖縄タイムス，1964c）．

　聖火が嘉陽目前のキャンプハンセン第一ゲートにさしかかった際には，海兵隊のマリンバンドと制服組の兵隊達が多数つめかけ，歓迎をしました（琉球新報，1964a）．米兵達は，手に日の丸を持ち，歓声と拍手で聖火を迎えました．

　2日目の最終走者である徳村政勝氏は，嘉陽の人達によってうちふられる日の丸に迎えられ，力強い足取りで聖火台にあがりました（沖縄タイムス，1964c）．聖火台に点火され，聖火台の後方には，五輪旗と日米両国旗がひるがえりました（琉球新報，1964a）．

　歓迎式典で挨拶に立った松永保一久志村長は「聖火こそは，時間的に古代と近代を結ぶ火であり空間的には全世界を結ぶ火である．スポーツの領域を乗り越え，人類平和と文化の発展を祈る人類共通の火である．この感激を村民とともにとわに記念し，聖火の光の発揚に努力する」と述べました（琉球新報，1964a）．また，大西正時北部町村長会長は「オリンピックの精神を住民が理解するとともに日常の生活に具現させ，基地に住む住民の最大の悲願である世界平和が一日も早く来ることを希望する」と述べました．

　歓迎式典は会場を校庭にうつし，エキシビジョンが始まりました（琉球新報，1964a）．米軍によるバンド演奏を皮切りに，辺野古青年会によるエイサー，シシ舞いなど，多彩なプログラムが繰り広げられました．久志村住民の人形師である仲嶺俊子氏は，「聖火が嘉陽に轟くのを見てわたしたちは，日本人であるという誇りが身にしみた」と語りました．

　9月9日朝，約400人の村民に見送られ，聖火は嘉陽をスタートしました（琉球新報，1964b）．聖火は塩屋に向かい，塩屋湾では村内のエンジン

写真１　久志　嘉陽　聖火宿泊碑前での式典　点火
【撮影日】1964 年 9 月 8 日　【アルバム】琉球政府関係写真資料　033

写真 2　久志　嘉陽　聖火宿泊碑前での式典　点火
【撮影日】1964 年 9 月 8 日　【アルバム】琉球政府関係写真資料 033

付きのくり舟（木ををくり抜いてつくられた舟）の多くが歓迎に押し寄せました．どの舟にも日の丸の旗を掲げ，聖火を歓迎しました．塩屋区民は聖火を待ちこがれていて，趣向をこらした歓迎を行うために，舟からという形になりました．塩屋大橋では，小中高生のバンド隊が高らかに演奏花吹雪をちらして，聖火リレーをたたえました（沖縄タイムス，1964d）．

聖火は名護町にはいりました（琉球新報，1964b）．名護十字路付近は各通り会，町当局，商工会の聖火歓迎アーチがはりめぐらされ，通りに面した家は屋上にも人が集まりました．沿道には，名護中高校バンド隊，名護大宮・東江小学校の鼓笛隊がマーチを奏でました．また，名護町民に混じって聖火を見ようと，本部・今帰仁・屋部村からかけつけた子供や一般の人々で沿道は埋め尽くされました．

琉球新報の記者による座談会においては，北部における聖火リレーへの対応についてふれられています（琉球新報，1964c）．記者の1人は，聖火到着の3時間前から沿道で小旗を手にして待つ熱心さがあり，心から聖火を迎えるという気持ちが感じられたと述べています．両手に日の丸を持って，腕がちぎれるほどに振っていた幼稚園児や小中校生に加えて，老婆の熱狂的な歓迎風景がいたるところで見られた点も指摘しています．他の記者は，聖火受け入れで最も良かったのは嘉陽であると述べています．さらに他の記者も，嘉陽の準備に対する熱の入れようはたいしたものであり，道はきれいにホウキがかけられ，また花鉢も並べられ，村民の素朴で真心のこもった受け入れに感激したと述べています．

沖縄タイムスの記者による座談会も行われ，久志村の取り組みについてふれられています（沖縄タイムス，1964e）．久志村は聖火受け入れを全村民が一丸となって行い，細かな気配りがなされていたと述べられています．全長15キロもある村内の道路を4日前から毎日散水し，ホコリをたたないようにしたり，宿舎の畳を名護や羽地から集めたりと，真心のこもった歓迎ぶりであったと評価されています．

9月7日から9日まで沖縄を縦断した聖火は，10日は安全灯にともされ

写真 3　久志　嘉陽　聖火宿泊碑前での式典
【撮影日】1964 年 9 月 8 日　【アルバム】琉球政府関係写真資料 032

写真 4　久志　嘉陽　聖火宿泊碑前での式典
【撮影日】1964 年 9 月 8 日　【アルバム】琉球政府関係写真資料 033

て主席室で「沖縄の休日」をとり，11日の午後3時45分，福岡に向けて那覇空港から飛び立ちました（琉球新報，1964d）．見送りにきた小禄高校の生徒は，「心から聖火ありがとう，といいたい気持ちです．きょうで聖火は行ってしまいますが私たちの心の中にともされた『感動の火』はいつまでも残るでしょう．聖火を歓迎するために自分でつくったこの日の小旗は記念に祖国復帰の日まで大事にしまっておくつもりです」と語りました．

　沖縄での走者の人選は，各市町村から推薦された者が「走者・人選・訓練小委員会」で決定されました（沖縄タイムス，1964b）．

参考引用文献

沖縄公文書館公式サイト．http://www.archives.pref.okinawa.jp/（参照日2018年4月15日）．

沖縄タイムス（1964a）7月10日　朝刊．

沖縄タイムス（1964b）8月23日　朝刊．

沖縄タイムス（1964c）9月9日　朝刊．

沖縄タイムス（1964d）9月9日　夕刊．

沖縄タイムス（1964e）9月10日　朝刊．

琉球新報（1964a）9月9日　朝刊．

琉球新報（1964b）9月9日　夕刊．

琉球新報（1964c）9月10日　朝刊．

琉球新報（1964d）9月12日　朝刊．

写真5　久志　嘉陽　聖火宿泊碑前での式典
【撮影日】1964年9月8日　【アルバム】琉球政府関係写真資料033

写真6　久志　嘉陽　聖火宿泊碑前での式典　エキシビション　ブラスバンド
【撮影日】1964年9月8日　【アルバム】琉球政府関係写真資料033

写真 7　久志　嘉陽　聖火宿泊碑前での式典　エキシビション　エイサー
【撮影日】1964 年 9 月 8 日　【アルバム】琉球政府関係写真資料 033

写真 8　久志　嘉陽　聖火宿泊碑前での式典　エキシビション　ひき踊り
【撮影日】1964 年 9 月 8 日　【アルバム】琉球政府関係写真資料 033

写真 9　久志　嘉陽　聖火宿泊碑前での式典　エキシビション　舞踊
【撮影日】1964 年 9 月 8 日　【アルバム】琉球政府関係写真資料 033

写真 10　久志　嘉陽　聖火宿泊碑前での式典　エキシビション　鼓笛隊
【撮影日】1964 年 9 月 8 日　【アルバム】琉球政府関係写真資料 033

写真 11　大宜味　塩屋大橋
【撮影日】1964 年 9 月 9 日　【アルバム】琉球政府関係写真資料 033

写真 12　名護
【撮影日】1964 年 9 月 9 日　【アルバム】琉球政府関係写真資料 033

写真 13　名護
【撮影日】1964 年 9 月 9 日　【アルバム】琉球政府関係写真資料 034

写真 14　名護　聖火を待つ走者
【撮影日】1964 年 9 月 9 日　【アルバム】琉球政府関係写真資料 033

写真 15　那覇空港　福岡へ向かう聖火
【撮影日】1964 年 9 月　【アルバム】琉球政府関係写真資料 034

表 1　金武村における聖火リレーの走者（沖縄タイムス，1964a）

区間	正走者	年齢	所属	副走者	年齢	所属
金武村〜屋嘉	伊波　秀輝	17	石川高校	石川　達明	17	石川高校
				新垣　武光	17	石川高校
〜元嘉芸中高前	前田　秀男	19	屋嘉区青年会	国場　渥美	21	屋嘉区青年会
				前田　孝徳	17	屋嘉区青年会
〜伊芸橋	安富祖　健	22	伊芸青年会	上江洲　徳幸	21	伊芸青年会
				伊芸　正夫	22	伊芸青年会
〜石謝原	東純　一郎	16	金武体協	平　英哲	16	金武体協
				福留　隆秋	16	金武体協
〜浜田	岡村　嶺雄	16	金武体協	安富　信武	16	金武体協
				比嘉　昌定	16	金武体協
〜金武村役所前	安富　朝正	22	金武区青年会	伊波　朝光	18	並里区青年会
				平川　宗文	19	金武区青年会
〜中川	伊波　盛虔	16	宜野座高校	比嘉　正夫	16	宜野座高校
				伊芸　広明	16	宜野座高校

表2 宜野座村における聖火リレーの走者（沖縄タイムス，1964a）

区間	正走者	年齢	所属	副走者	年齢	所属
宜野座村～漢那	宜野座光雄	17	宜野座高校	仲間 芳雄	17	宜野座高校
				河上 好秀	16	宜野座高校
～福山	当真 嗣盛	20	宜野座村青年会	古謝 次郎	22	宜野座村青年会
				島袋 松広	22	宜野座村青年会
～宜野座高校前	伊芸 和夫	16	宜野座体協	石川 徳光	16	宜野座高校
				浦崎 安朝	19	宜野座高校
～松田	上原 秀幸	18	宜野座高校	大嶺 自考	18	宜野座高校
				東 峯	17	宜野座高校

表3 久志村における聖火リレーの走者（沖縄タイムス，1964a）

区間	正走者	年齢	所属	副走者	年齢	所属
久志村～潟原	福本 武和	18	宜野座高校	安里 昌利	17	宜野座高校
				山里 真	16	宜野座高校
～久志	嘉陽 宗武	16	宜野座高校	比嘉 清一	18	宜野座高校
				島袋 義達	20	久志青年会
～豊原	島袋 弘	22	豊原青年会	謝花 良隆	20	豊原青年会
				山城 正夫	17	豊原青年会
～辺野古キャンプ前	島袋 信夫	22	辺野古青年会	嘉陽 宗弘	18	辺野古青年会
				宮城 恒雄	17	辺野古青年会
～下福地原	棚原 忠明	20	久志青年会	比嘉 英慧	21	辺野古青年会
				比嘉 照正	22	辺野古青年会
～ずぎんだ原	伊芸 孝治	18	宜野座高校	棚原 憲勇	18	宜野座高校
				新川 浩	17	宜野座高校
～二見橋	許田 正昭	17	宜野座高校	比嘉 俊次	17	宜野座高校
				島袋 庸夫	16	宜野座高校
～大浦	宮城 一	17	北部農林高校	城間 辰雄	16	宜野座高校
				仲尾次 嗣光	19	二見青年会
～瀬嵩	金城 保幸	18	三原青年会	西平 哲武	16	宜野座高校
				上原 博行	16	宜野座高校
～汀間	西平 譲次	16	宜野座高校	玉城 繁夫	16	宜野座高校
				玉城 均	16	宜野座高校
～三原	玉城 勝雄	17	汀間青年会	大城 盛武	16	北部農林高校
				東恩納 盛友	16	宜野座高校
～安部上原	多和田 真良	17	宜野座高校	大城 貞俊	16	宜野座高校
				当真 嗣徳	18	三原青年会
～安部	上原 清	18	嘉陽青年会	大城 秀勝	19	安部青年会
				宮城 勇吉	19	安部青年会
～嘉陽	徳村 政勝	18	天仁屋青年会	大城 浩達	19	宜野座高校
				宮城 敬二	19	宜野座高校
～やつく中峠東坂	宮里 操	22	三原青年会	前田 稔		北部農林高校
				翁長 良一	16	北部農林高校
～やつく中峠西坂	仲村 民博	16	北部農林高校	上原 良寛	17	北部農林高校
				大城 栄一	18	嘉陽青年会
～天仁屋	大城 勇	17	北部農林高校	安谷 邦彦	21	嘉陽青年会
				翁長 健二	17	北部農林高校

表4 東村における聖火リレーの走者（沖縄タイムス，1964a）

区間	正走者	年齢	所属	副走者	年齢	所属
東村～有津坂	豊里 晃正	21	底仁屋青年会	仲本 興勇	16	底仁屋青年会
				仲本 吉明	20	底仁屋青年会
～有銘	神谷 清市	17	天仁屋青年会	比嘉 盛次	16	天仁屋青年会
				赤比地 厚憲	16	天仁屋青年会
～大谷	平田 孝	21	有銘青年会	山内 正幸	19	有銘青年会
				知花 広光	16	有銘青年会
～慶佐次	赤嶺 行敏	21	有銘青年会	赤嶺 善徳	21	慶佐次青年会
				宮城 文一	17	慶佐次青年会
～伊是名	宮里 優	17	辺土名高校	崎山	17	辺土名高校
				大城 郁夫	17	辺土名高校
～新川原	大城 一男	17	辺土名高校	大田 良治	17	辺土名高校
				知念 良明	17	辺土名高校
～字手那覇	渡嘉敷 淳治	22	高江青年会	比嘉 勝正	20	平良青年会
				宮城 孝則	20	平良青年会
～西割取	吉本 逸夫	21	川田青年会	津嘉山 朝弘	16	宮城青年会
				大宜味 朝盛	22	川田青年会

表5　大宜味村における聖火リレーの走者（沖縄タイムス，1964a）

区間	正走者	年齢	所属	副走者	年齢	所属
大宜味村〜かまちぐむい	城間　富安	19	川田青年会	金城　邦夫	22	川田青年会
				宮城　堅三	18	宮城青年会
〜田港	友寄　景三	18	辺土名高校	宮城　久光	17	辺土名高校
				山城　栄	17	辺土名高校
〜塩屋	金城　幸男	16	国頭村体協	与那城　洋一	16	国頭村体協
				大城　進一	16	国頭村体協
〜宮城島	仲村　勲	21	大宜味青年協議会	平良　嗣男	17	辺土名高校
				平良　忠昭	17	辺土名高校
〜津波	宮城　仁喜	18	辺土名高校	真喜志　幸春	17	辺土名高校
				上地　徳一	17	辺土名高校
〜平南橋	辺土名　純	17	辺土名高校	花城　哲男	18	辺土名高校
				崎山　正博	16	辺土名高校

表6　羽地村における聖火リレーの走者（沖縄タイムス，1964a）

区間	正走者	年齢	所属	副走者	年齢	所属
羽地村〜後原橋	真栄田　善嗣	17	辺土名高校	山川　潤	17	辺土名高校
				大城　富光	17	辺土名高校
〜源河	石川　忠正	21	源河青年会	宮城　真介	22	源河青年会
				親川　初雄	19	源河青年会
〜稲嶺	浦崎　直松	19	北山高校	仲松　弥寿博	17	北山高校
				宮里　昇明	17	北山高校
〜仲尾次	仲里　光正	18	名護高校	仲宗根　信夫	18	名護高校
				金城　淳弘	18	名護高校
羽地村〜田井等	金城　次雄	20	我部祖河青年会	玉城　光秀	20	呉我青年会
				小橋川　良範	18	親川青年会
〜伊差川	真栄田　薫	22	今帰仁村体協	小波津　一平	22	今帰仁村体協
				嶺井　政義	20	今帰仁村体協

表7　名護町における聖火リレーの走者（沖縄タイムス，1964a）

区間	正走者	年齢	所属	副走者	年齢	所属
名護町〜大北	仲田　米好	21	備瀬青年会	当山　清浩	19	山川青年会
				平良　俊雄	19	北里青年会
〜名護	豊里　友嗣	20	屋部青年会	真栄田　義道	21	勝山青年会
				安里　和国	14	屋部青年会
〜世冨慶	親川　秀吉	20	名護町体協	比嘉　正義	19	オリオンビール
				仲村　秀昭	19	オリオンビール
〜平石原	大城　正和	21	本部町体協	渡慶次　賀勝	20	本部町体協
				渡久地　敏生	20	琉銀名護支店
〜翁長カーブ	祖内　用光		名護高校	仲田　和弘	17	名護高校
				比嘉　三男	17	名護高校
〜湖辺底	大見　恒和	18	名護高校	中村　米彦	18	名護高校
				具志堅　興盛	18	名護高校
〜幸喜	比嘉　恵一	18	名護高校	上間　勝年	18	名護高校
				宮平　均	17	名護高校
〜部瀬名	具志堅　興徳	21	名護町体協	新垣　政治	17	名護町体協
				具志堅　武彦	19	名護町体協

表8　恩納村における聖火リレーの走者（沖縄タイムス，1964a）

区間	正走者	年齢	所属	副走者	年齢	所属
恩納村～大田	上間 全弘	17	北部農林高校	嘉手苅 春男	16	北部農林高校
				津嘉山 朝光	17	北部農林高校
～名嘉真	仲村 広和	17	石川高校	平良 勉	16	石川高校
				宮平 栄実	16	石川高校
～きしんだ原	上里 芳正	17	石川高校	伊波 栄次	16	石川高校
				饒辺 栄一	16	石川高校
～熱田	喜久山 繁	18	北部農林高校	仲嶺 勝	17	北部農林高校
				宮里 正辰	17	北部農林高校
～安富祖	比嘉 正幸	22	安富祖青年会	当山 光則	22	安富祖青年会
				桑江 良一	20	安富祖青年会
～瀬良垣	宇江城 安喜	20	喜瀬武原青年会	外間 現誠	19	喜瀬武原青年会
				外間 現和	17	喜瀬武原青年会
～大田	当山 徳安	16	中央高校	当山 勝則	16	石川高校
				大城 堅孝	18	石川高校
～恩納小学校前	佐久本 嗣男	16	石川高校	山城 郁夫	16	石川高校
				長嶺 安伸	17	北部農林
～屋嘉田	佐渡山 安治	19	恩納青年会	津嘉山 朝光	17	石川高校
				名城 仁幸	15	石川高校
～谷茶	玉城 忠憲	16	石川高校	仲村 清	16	石川高校
				当山 勝弘	18	石川高校
～富着	八木 政彦	17	石川高校	町田 宗雄	16	石川高校
				山城 洋	17	石川高校
～前兼久	新田 宗栄	16	石川高校	角松 明夫	16	石川高校
				松茂良 繁	15	石川高校
～仲泊	伊波 正明	17	石川高校	松本 新一	17	石川高校
				山城 義雄	17	石川高校
～久良波	名嘉 清吉	17	石川高校	兼城 次雄	16	石川高校
				比屋根 安正	15	石川高校
～多幸山	荻堂 盛定	17	石川高校	宮里 成栄	16	石川高校
				平良 勇	16	石川高校

表9　読谷村における聖火リレーの走者（沖縄タイムス，1964a）

区間	正走者	年齢	所属	副走者	年齢	所属
読谷村～親志	山内 昌栄	20	読谷村青年会	比嘉 良栄	17	読谷高校
				山内 正人	17	読谷高校
～喜名	池原 正憲	20	読谷村青年会	島袋 幸栄	17	読谷高校
				松田 昌次	17	読谷高校
～伊良皆	松田 健徳	18	読谷村青年会	天久 源和	18	読谷高校
				与那覇 清徳	17	読谷高校
～比謝橋	知花 正治	21	読谷村青年会	知花 勝	17	読谷高校
				友江 高夫	17	読谷高校

3　章

沖縄(やんばる)における聖火リレーのレガシーと 2020年東京オリンピック・パラリンピックへ向けて

　沖縄での聖火は151区間，147キロにわたって，3473人の若者達によってリレーされました（琉球新報，1964）．やんばるのみならず，沖縄にとっても大きなレガシーを残した聖火リレーでした．株式会社学研教育みらいが発行する中学校保健体育科の教科書においては，嘉陽の聖火宿泊碑がオリンピック・レガシーの1つとして示されています（森・佐伯代表，2018, p.176）．以下では，3つのレガシーをあげたいと思います．また，2020年東京オリンピック・パラリンピックへ向けた，やんばるでの取り組みについてご紹介します．

レガシー① 日本人である意識，アイデンティティーの再確認

　沖縄での聖火リレーの実施が決定した1962（昭和37）年から，現実に聖火リレーが実現した1964（昭和39）までの期間においては，沖縄は米国施政権下にあり，日本の「潜在主権」が認められるにすぎませんでした．しかし，60年代になると，本土においても，沖縄問題に関する認識が徐々に深まり，沖縄返還運動が大きくなりつつありました（新崎，2005, p.26）．1960（昭和35）年4月28日には，60年代に沖縄民衆運動の母体なった沖縄県祖国復帰協議会（復帰協）が結成されました（新崎，2005, p.17）．このような背景にあった沖縄において，国内の聖火リレーにおける最初の着陸地となったことは，沖縄住民に「日本人」という意識を強く抱かせる契機となりました．

　当時，小学校6年生の佐久田久美子氏は「聖火が目の前を通って見えなくなったとき夢見たいな心地だった．手にしっかりとにぎられた日の丸を知ったとき，わたしも日本人だという実感と何だか泣きたくなった」と語りました（琉球新報，1964）．中学校3年生であった古波蔵正裕氏は「いままで本土と関係ないみたいに思っていたが，聖火を日の丸で迎えてジーンと胸がしめつけられる思いがした」と語りました．また，石垣孫弘氏は聖火の残した意義について，次のように述べています．

写真1（筆者撮影）／現在の聖火宿泊記念碑
【撮影日】2019年3月23日

写真2（筆者撮影）／現在の聖火台と旧嘉陽小学校
【撮影日】2019年3月23日

日の丸と君が代という日本ムードに終始した三日間でしたが，かつて，これほど日本国民というのを意識したことはなかった．またいまほど本土と沖縄が血肉を分けた兄弟という一体感を味わったこともありますまい．そういう意味で，聖火の沖縄リレーは，私たちに「日本国民」としてのはっきりしたバックボーンを与えてくれました．いままでの沖縄住民には何かしら，そういう日本国民としての心の「支柱」というものが欠けていました．感激や感動は聖火が帰るとうすれるものですが心の支えというものは失いたくないものです（琉球新報，1964）

オリンピックの聖火が国土への第1歩として沖縄を通過したことが，本土との一体感や日本人であることの誇りを，沖縄の人達は心の中に深くきざみ込みました（琉球新報，1964）．琉球新報の社説では，沖縄の歴史上，1つの行事にこれだけの人が関心を持った例はなかったと指摘されています．また，戦前戦後を通じて，9月7日から9日までの3日間ほど，沖縄が「日の丸」で埋まった日もなかったと述べられています．沖縄の人々が「日の丸」で聖火を迎えた気持ちは，他府県の人々が「日の丸」で聖火を迎える気持ちとは，大きな差があるとも述べられています．沖縄が日の丸に埋まったのは，沖縄の人びとが祖国復帰を願う気持ちの表現であり，戦後19年，ひたすら祖国との一体化を願って来たと指摘されています．社説は次のように締めくくられています．

日本の玄関としてこの世紀の火を送迎することができた．九十万住民はいま静かにその喜びをかみしめている．聖火がこの沖縄に残したものも大きい．それが次代の沖縄を背負う青少年の教育に生かされるであろうことを考える時，われわれの喜びは一段と大きくなる（琉球新報，1964）

　以上は，1964（昭和39）年当時に人々が抱いた感情です．50年以上の月日が経っても，沖縄での聖火リレーはレガシーとなって，沖縄の人々に記憶されています．2017年（平成29）年10月4日，聖火リレーの第一走者であった宮城勇氏は琉球新報社を訪れ，当時の聖火リレーについてふり返りました（琉球新報，2017b）．聖火リレーの際に，住民が沿道で日の丸を振りながら応援する姿をみて，日本人という気持ちになったと述べています．また，2014（平成26）年のインタビューにおいて宮城氏は，聖火リレーは沖縄の日本への復帰に大きなインパクトを与えた点を指摘しました（琉球新報，2014）．

レガシー②　久志駅伝大会・久志20kmロードレース大会

　聖火宿泊を記念して，久志駅伝大会・久志20kmロードレース大会が誕生しました（琉球新報，2017a）．2019（令和元）年9月1日には名護市久志支部体育協会主催のもと，久志駅伝大会は55回目を，久志20kmロードレース大会は53回目を迎えました（琉球新報，2019c）．聖火の宿泊地となった旧嘉陽小学校を拠点に開催されました．北部地区の中学校と一般の部の駅伝競走，さらには，一般対象の20キロロードレースが行われました．中学校の部は久志区公民館前から旧嘉陽小前までの12区間を18校が，一般の部は辺野古公民館前から同小前までの6区間を9チームが競いました．久志駅伝大会・久志20kmロードレース大会は50年にわたって，人々の交流を促進し，地域の一体感や活力を醸成してきました（琉球新報，2017a）．

　聖火リレーの種火が宿泊した聖火台は，53年ぶりの2017（平成29）年に名護市久志支部体育協会などによって修復されました（沖縄タイムス，2017b）．聖火リレーの当時，久志村役場職員だった安部区の宮里武氏も，現在も開催されている駅伝大会は久志地域の誇りであると述べています（沖縄タイムス，2017a）．

レガシー③　やんばる初のオリンピアンの誕生

　今帰仁村出身の具志堅興清氏が，1972（昭和47）年に開催されたミュンヘンオリンピックの日本代表選手として，三段跳に出場しました（玉城，1989, p.40）. 具志堅氏が，沖縄での聖火リレーにどの程度の関わりがあったのか定かではありません．そのため，沖縄で聖火リレーが行われていなければ，具志堅氏のオリンピック出場は叶わなかったと断定することは出来ません．しかしながら，1964（昭和39）年の聖火リレーの興奮や感動が，8年後のミュンヘンオリンピック出場を果たした具志堅氏に，大きな力を与えた可能性も否定出来ません．

　具志堅氏は，東京オリンピックから2年後の1966（昭和41）年にバンコクで行われたアジア大会においては，15m61を跳んで金メダルを獲得しました（喜友名，2010, p.47）. 日本選手権では9年連続入賞し，優勝3回，2位4回，3位1回という戦績を残しました．やんばるの陸上界で最も優れた実績を残したアスリートであると述べても過言ではありません．

2020年東京オリンピック・パラリンピックへ向けて

1. やんばるにおける聖火リレーの誘致活動

　2020年の東京オリンピック・パラリンピック大会は，「復興オリンピック・パラリンピック」と位置づけられ，聖火リレーは2020年3月26日に福島県から出発することが決まりました（公益財団法人東京オリンピック・パラリンピック競技大会組織委員会, online）. 沖縄には，5月2～3日の期間で聖火リレーが行われることが決定しました．それに伴い，県内ルート案の検討のため，「東京2020オリンピック聖火リレー沖縄県実行委員会」が設立されました（沖縄県庁, online）. 2018（平成30）年7月18日には，以下の「沖縄県聖火リレーの基本的考え方」が示されました．

　沖縄県の「資産（平和，歴史，文化，自然，地理的条件等）」を活用し，沖縄県の魅力を国内外へ発信するよう聖火リレーを実施する．

　聖火リレーを通じて，県民の一体感を醸成し，そこで得られた様々な体験やノウハウを，沖縄県民のレガシーとする．

　また，沖縄県聖火リレーのコンセプトは「未来へ，つなごう．ともに支えあう平和で豊かな『美ら島』おきなわ」となりました．

　名護市では，2017（平成 29）年 12 月 20 日付けで沖縄県知事へ聖火リレー及び聖火宿泊の誘致について，要請書が提出されました（名護市役所，2018）．また，「聖火を再び名護市へ」と題し，1964（昭和 39）年の東京オリンピック大会の聖火リレーで実際に使用されたトーチやユニフォームなどの展示会が，名護市役所ロビーで開催されました．2018（平成 30）年 12 月 26 日には，名護市の関係者が市民から集めた 2751 筆の署名を沖縄県文化観光スポーツ部の嘉手苅孝夫部長に手渡し，名護市への聖火誘致を要請しました（琉球新報，2018）．

2. 聖火リレールートの決定

　2019（令和元）年 6 月 1 日，東京オリンピック・パラリンピック競技大会組織委員会は，聖火リレーのルート概要を発表しました（琉球新報，2019a）．予定されていた 2020 年 5 月 2 ～ 3 日の期間で，離島を含めた県内 14 市町村 12 区間を巡ることになりました．5 月 2 日は，世界遺産の首里城公園で出発式を行った後に宜野湾市，沖縄市，さらにはうるま市から石垣市へうつります．本島に戻った後は，上述の聖火宿泊記念碑が建立されている名護市嘉陽地区から本部町を通過し，名護市の名護中央公民館前芝生広場へ到着します．5 月 3 日は，豊見城市の沖縄空手会館で式典を開催した後，浦添市や北谷町を走ります．座間味村の小座間味ビーチや宮古島市の離島コースから南城市に入り，糸満市摩文仁の平和記念公園を目指します．

　聖火は首里城公園での出発式の後，1 区間 13 人程度の走者が 1 人あたり約 200 m 程をつなぎます（琉球新報，2019a）．離島では「親の火」に代わ

り，あらかじめランタンで運ばれた「子の火」でリレーを行うことになりました．走者は 2 日間で約 160 人を想定されています．

2019（令和元）年 6 月 22 日には，「聖火でツナグ〜地域・世代・未来〜」と題した聖火リレーセレモニーが，名護市立小中一貫教育校である緑風学園を拠点に実施されました（琉球新報，2019b）．嘉陽区の聖火宿泊碑前から緑風学園までの約 7 キロ，10 区間を 12 人によってリレーされました．1964（昭和 39）年の東京オリンピック当時の聖火ランナーを担った宮里操氏も，リレーセレモニーで第 1 区を走りました．宮里氏は 2 度目の聖火ランナーを行うことが出来た際には，ランナー冥利に尽きると語りました．

3．ホストタウン登録への取り組み

2020 年の東京オリンピック・パラリンピック大会に向けては，内閣官房東京オリンピック競技大会・東京パラリンピック競技大会推進本部において，「ホストタウン推進要綱」に基づいてホストタウンの推進がなされています（内閣官房内閣広報室，online1）．「ホストタウン推進要綱」は，全国の地方公共団体と大会参加国・地域との人的・経済的・文化的な相互交流を図るとともに，地域の活性化などを推進することが目的とされています（内閣官房内閣広報室，online2）．ホストタウンとはこれらの目的を達成するために，住民，大会に参加するために来日する選手，大会参加国・地域の関係者，日本人オリンピアン・パラリンピアンにおける交流を行い，スポーツの振興や教育文化の向上及び共生社会の実現を目指す地方公共団体です．内閣官房東京オリンピック競技大会・東京パラリンピック競技大会推進本部において，登録を受けた団体がホストタウンとして認定されます．2019（令和元）年 12 月 27 日の時点において，登録は 378 件に達しました（内閣官房内閣広報室，online3）．沖縄県内では 2017（平成 29）年 7 月 7 日に沖縄市がニュージーランドを相手国として登録されたのを皮切りに，北中城村はサントメ・プリンシペを，中城村はカーボベルデを，八重瀬町はソロモン諸島を，石垣市はサンマリノ，ルクセンブルクを，宮古島市はオーストラリアを，竹富町

5月2日

❶首里城公園〜玉陵

首里城公園内の世界遺産。園比屋武御嶽石門前を出発し、守礼門をくぐって県立首里高校方面へ。琉球王国の国王と王妃が葬られた玉陵への入り口まで0.3㌔を走る。

❷新都心公園〜ゆいレール

新都心公園を出発し、おもろまち駅から安里駅まで沖縄都市モノレール（ゆいレール）で移動。観光客に人気の国際通りを抜けて県庁前の県民広場まで3.2㌔を走る。

❸宜野湾市営野球場前バス停〜海浜公園

宜野湾市営野球場前バス停を出発し、市立はごろも小学校前前の国道58号線へ。特産物の田イモ畑が広がる大山漁協を抜けて宜野湾海浜公園までの2.7㌔を走る。

❹コザ運動公園

コザ運動公園陸上競技場を出発し、国道330号を都度抜けてコザ・ミュージックタウン方向へ。昨年8月に新装した沖縄市観光文化資料展示館「ヒストリート」までの2.6㌔を巡る。

❺海中道路

与勝総合公園陸上競技場を出発し、うるま市を代表する長勝地である海中道路を巡る。海中道路ロードパークまでの2.5㌔を小走

場を出発し、うるま市を代表する長勝地である海中道路を巡る。海中道路ロードパークまでの2.5㌔を駆け抜ける。

❻石垣730記念碑

本土復帰を経て、車の通行が右から左に変更された1978年7月30日を記念して建った石垣市美崎町の「730記念碑」を出発。竹富島を望遠近に臨む石垣公園までの3㌔を走る。

❼名蔵市嵩福地区

1964年の東京五輪の聖火宿泊を記念して、昨年ロードレース大会が開かれる嵩福地区の入り口の坑見池。聖火御記念碑前を通り、嵩ら島自然学校前まで0.3㌔を駆ける。

5月3日

❽海洋博公園

沖縄屈ら海水族館前にある世界最大の魚ジンベエザメのモニュメントから出発。子どもに人気の「ちびっことりで」近くを通り、海洋博公園前の噴水広場まで0.4㌔を走る。

❾東江中学校〜ひんぷんガジュマル

名護市立東江中学校前を出発し、推定樹齢300年で名護のシンボルになっているひんぷんガジュマルの下を通り、市役所前へ。市民合同前の芝生広場から1.7㌔を走る。

頭添」（浦添市陸上競技場）までの2.8㌔を走る。

❿豊見城城市の空手会館特別道場

赤瓦の屋根や板頭の全面をあしらい、空手の発祥地を象徴的に表す沖縄空手会館特別道場（守礼の館）前に出て、毎びビーチに要る。

⓫浦添市役所〜ANAフィールド

浦添市役所と浦添市の公立美術館として建てられた浦添市陶器を通り、昨年10月に新名称になった「ANAフィールド浦添前広までの2.4㌔を走る。

⓬古藤間味ビーチ

ミシュランの二つ星観光地にも選ばれた、国立公園に指定される古産開味ビーチで沖縄伝統の漁船サバニに乗船。高い透明度を誇る「ケラマブルー」の海に出て、毎びビーチに要る。

⓭宮古島市役所

宮古島市役所を出発し、飲食店などの並ぶ下里大通りを巡り、市立平良第一小学校のそばを駆け抜け、宮古合同庁舎までの2.6㌔を走る。

⓮ニライカナイ橋

高低差約80㌔の橋の上からコバルトブルーの海が楽しめるニライカナイ橋の入り口がスタート。琉球王朝の聖地、斎場御嶽の付近を通り、地合座を望む知念体育館前での2.8㌔を走る。

⓯アメリカンビリッジ

北谷町役場を出発し、観光客にも人気のあるフィッシャリーナ地区を抜けた、映画館やショップが並ぶ、米国の雰囲気が楽しめるアメリカンビリッジがゴール。観覧車付近までの2.4㌔を走る。

⓰糸満市白銀堂

無風交流点を出発し、海人が祈り信仰を寄せる拝所

「白銀堂」や糸満漁港近くを巡る。糸満ロータリーを抜けて市役所までの2.2㌔を駆け付ける。

⓱平和祈念公園

戦没者を悼み、世界に平和を訴える県平和祈念公園からスタート。毎年6月23日の慰霊の日に式典が開かれる広場の先に立つ平和の礎を通り、0.3㌔で聖火リレーをつなぐ。

◇　◇　◇

変化になる可能性も

ルートの詳細と市町村の順番については、東京2020組織委員会、県警本部との調整で今後変化になる可能性がある。

沖縄タイムス 2019 年 12 月 18 日付特集

はサンマリノを，豊見城市はハンガリーを相手国や地域として登録されました
た.

　今後も，さらなるホストタウンの登録が予想されます.

参考引用文献
新崎盛暉（2005）沖縄現代史（新版）. 岩波書店.
喜友名朝得（2010）戦後沖縄陸上界　歴史をつくったアスリートたち. 新星出版.
公益財団法人東京オリンピック・パラリンピック競技大会組織委員会. 東京 2020 オ
　　リンピック聖火リレー出発地・出発日発表!! 2020 年 3 月 26 日，福島県からス
　　タート！. https://tokyo2020.org/jp/news/notice/20180712-01.html, （参照日
　　2019 年 8 月 16 日）.
森昭三・佐伯年詩雄代表（2018）新・中学保健体育. 学研教育みらい.
内閣官房内閣広報室（online1）. ホストタウンの推進について. https://www.kantei.
　　go.jp/jp/singi/tokyo2020_suishin_honbu/hosttown_suisin/, （参照日 2020 年 1 月
　　30 日）.
内閣官房内閣広報室（online2）. ホストタウン推進要綱. https://www.kantei.go.jp/
　　jp/singi/tokyo2020_suishin_honbu/hosttown_suisin/pdf/ht_suisinyoukou.pdf, （参
　　照日 2019 年 10 月 17 日）.
内閣官房内閣広報室（online3）. ホストタウン一覧. https://www.kantei.go.jp/jp/singi/
　　tokyo2020_suishin_honbu/hosttown_suisin/pdf/190830_htlist.pdf, （参照日 2019
　　年 10 月 17 日）.
沖楽. 東京 2020 オリンピック・パラリンピック「美ら海聖火リレー」. https://oki-
　　raku.net/tokyo2020/, （参照日 2018 年 9 月 12 日）.
沖縄県庁. 東京 2020 オリンピック聖火リレー沖縄県実行委員会. http://www.pref.
　　okinawa.jp/site/bunka-sports/sports/shinko/seikarelay/h30_seika.html, （参照日
　　2019 年 8 月 20 日）.
沖縄タイムス（2017a）8 月 22 日　朝刊.
沖縄タイムス（2017b）9 月 5 日　朝刊.
琉球新報（1964）9 月 10 日　朝刊.
琉球新報（2017a）9 月 22 日　朝刊.
琉球新報（2017b）12 月 5 日　朝刊.

琉球新報（2018）12月27日　朝刊.

琉球新報（2019a）6月2日　朝刊.

琉球新報（2019b）6月23日　朝刊.

琉球新報（2019c）9月21日　朝刊.

玉城忠（1989）沖縄スポーツ人国記. 琉球新報社.

4 章

オリンピアンが重視する
「ツール・ド・おきなわ」とレガシー

1．ホビーレーサーの甲子園「ツール・ド・おきなわ」

　2018年11月に第30回記念大会が開催された「ツール・ド・おきなわ」は，国内外から5,044人と過去最多の参加者を迎えて盛大に閉幕しました．「ツール・ド・おきなわ」は，毎年11月に沖縄県名護市を中心に沖縄本島北部地域（通称：やんばる）で2日間にわたり，1898年から開催されているサイクルイベントです（NPO法人ツール・ド・おきなわ協会，2018）．UCI（国際自転車競技連合）公認の男子チャンピオンレースをはじめ，市民レーサーが参加出来る市民レース，沖縄の風光明媚な景色を楽しめるサイクリングなどの「市民サイクルスポーツ大会」，子ども達を主役にした一輪車や三輪車の関連イベントなど，自転車の祭典として開催しています．主催は特定非営利活動法人ツール・ド・おきなわ協会，北部広域市町村圏事務組合，日本自転車競技連盟です．

　ツール・ド・おきなわの目的は，①サイクルスポーツの普及・振興，②沖縄県における観光・文化の振興等の地域づくり，③健康・体力の増進に寄与すること，および，④国際交流・協力等の公益の増進に寄与することと掲げられています（NPO法人ツール・ド・おきなわ協会，2018）．大会を開催するようになった契機は，昭和48年に名護市が「モデル自転車都市」に地域指定されたこと，また，昭和62年の「沖縄海邦国体」では，北部地区の6市町村が「自転車ロードレース競技会場」となったことが挙げられます（江頭，2010）．沖縄海邦国体での成功体験もあり，「自然に優しいサイクルスポーツを通した地域作り」をテーマに大会開催に向けた運動が開始されました．検討を進めてゆく中で大会開催の意義が整理され「やんばるをひとつにする」，「地域活性化と経済効果」，そして「地域住民のアイデンティティ形成」という3点が明確に示されました．この意義が明確になったことで大会開催準備は順調に進行し，平成元年に第1回ツール・ド・おきなわが開催されました．

　ツール・ド・おきなわは観光地である沖縄の特性を活かして，純粋なレースだけでなく，様々なイベントを組み合わせて開催されています（江頭，2010）．レースイベントの中で最上級クラスの「チャンピオンレース」はUCI（国際自転車競技連合）のアジアツアーに組みこまれており，世界的にも評価されるレースとなっています．第30回大会の開催要項によると，1日目に開催される競技は，沖縄本島一周サイクリング，やんばるセンチュリーライド，チャレンジサイクリング，伊江島ファミリーサイクリング，伊是名島サイクリング，一輪車大会です．2日目に開催される競技は，男子チャンピオンレース，市民レース210km，市民レース50km系，チャレンジレース50km系，バリアフリーサイクリング，恩納村ファミリーサイクリング，小学生レース10km，ジュニア国際ロードレース，市民レース140km，女子国際ロードレース，市民レース100kmとなっています．このように，ツー

表1　競技メニュー（国際ロードレース）

競技メニュー	走行距離(km)	参加対象	概要
国際ロードレース			
男子チャンピオンロードレース	210	19歳以上の国内外招待・優待チームで国際ライセンス所持のエリート男子	ＵＣＩ（国際自転車競技連合）のアジアツアークラス1.2にランクされる，国内最長のロードレース．海外招待選手及び国内の強豪選手が白熱したチームレースをやんばるで繰り広げる国際レース．
ジュニア国際ロードレース	140	国内外の招待・優待国選手（欧州，米州，豪州，香港，中華台北，韓国，中国，マレーシア）高体連推薦選手及び高校生男子	国内ジュニア選手の競技力向上を目指し，海外の強豪選手と競いながらハードなコースを走り，将来ヨーロッパでも活躍できる選手育成に繋げるレース．JCF規制による，ギア比検査有．
女子国際ロードレース	100	国内外の招待・優待選手及び高校生以上の競技登録女子選手	海外招待選手と国内ランキング上位の選手が競う女子国際レース．チャンピオンレースと同じ山岳コースが1回組み込まれており，女子のレースとしては国内で最高レベルのレースとなる．

表2　競技メニュー（市民レース）

競技メニュー	走行距離(km)	参加対象	概要
市民レース			
市民レース 210km	210	19歳以上60歳未満の男子ロードレース経験者	全国のホビーレーサーが目指す「究極」の種目で，市民レースの国内最高レベルで競技力のある選手が競い合う．やんばるの自然の中で繰り広げる210kmにもおよぶ過酷な市民レース．
市民レース 140km	140	高校生以上の男子 JPCA登録選手は参加不可	市民210kmと同様に，山岳横断が2回設定されるコース．体力や経験，駆け引きなど実力が試される本格的なレースができるハードなコース．
市民レース 100km アンダー39	100	高校生以上39歳までの男子 JPCA登録選手は参加不可	国頭村奥からスタートするコース．競技レベルアップを目指す選手が多く参加し，中距離レースのために序盤から積極的なレース展開が繰り広げられる．レースを安全に行うためカテゴリーを以下の2つに細分化．
市民レース 100km オーバー40	100	40歳以上の男子 JPCA登録選手は参加不可	国頭村奥からスタートするコース．競技レベルアップを目指す選手が多く参加し，中距離レースのために序盤から積極的なレース展開が繰り広げられる．レースを安全に行うためカテゴリーを以下の2つに細分化．
市民レース 50km アンダー39	50	高校生以上39歳までの男子，尚且つ50kmを1時間30分で完走出来る者 JPCA登録選手，競輪選手は参加不可	ピュアスプリンター達が鎬を削るより熱いレースに新設定．比較的高低差が少ないコースで，序盤はやんばるの美しい海沿いを走る．
市民レース 50km フォーティー	50	40歳以上49歳までの男子，尚且つ50kmを1時間30分で完走出来る者 JPCA登録選手，競輪選手は参加不可	ピュアスプリンター達が鎬を削るより熱いレースに新設定．比較的高低差が少ないコースで，序盤はやんばるの美しい海沿いを走る．

市 民 レース 50km フィフティー	50	50歳以上59歳までの男子，尚且つ50kmを1時間30分で完走出来る者 ＪＰＣＡ登録選手，競輪選手は参加不可	ピュアスプリンター達が鎬を削るより熱いレースに新設定．比較的高低差が少ないコースで，序盤はやんばるの美しい海沿いを走る．
市 民 レース 50km オーバー60	50	60歳以上の男子，尚且つ50kmを1時間30分で完走出来る者 ＪＰＣＡ登録選手，競輪選手は参加不可	ピュアスプリンター達が鎬を削るより熱いレースに新設定．比較的高低差が少ないコースで，序盤はやんばるの美しい海沿いを走る．
チャンピオンレース50km アンダー39	50	高校生以上39歳までの男子，尚且つ50kmを1時間30分を超えて完走を目指す者 ＪＰＣＡ登録選手は参加不可	順位にこだわらず，疾走感と達成感を味わえるコース．フラットなコースでビギナーにも走りやすく，海沿いの景色が堪能できるコース．レースを安全に行うためカテゴリーを3つに細分化．
チャンピオンレース50km フォーティー	50	40歳以上49歳までの男子，尚且つ50kmを1時間30分を超えて完走を目指す者 ＪＰＣＡ登録選手は参加不可	順位にこだわらず，疾走感と達成感を味わえるコース．フラットなコースでビギナーにも走りやすく，海沿いの景色が堪能できるコース．レースを安全に行うためカテゴリーを3つに細分化．
チャンピオンレース50km オーバー50	50	50歳以上の男子，尚且つ50kmを1時間30分を超えて完走を目指す者 ＪＰＣＡ登録選手は参加不可	順位にこだわらず，疾走感と達成感を味わえるコース．フラットなコースでビギナーにも走りやすく，海沿いの景色が堪能できるコース．レースを安全に行うためカテゴリーを3つに細分化．
市民レディースレース50km	50	中学生以上の女子	女子選手の競技普及を目指し，市民レース50kmと同じコースを走る．年々参加者も増加し，幅広い年代の選手が参加している．
中学生レース 50km	50	中学生男子	国内でも数少ない中学生レースの一つで，将来レーサーを目指す全国の中学生が競い合う．現在国内外で国際レースに参加している選手の中にも，過去にこのレースで経験を積んだのち活躍している選手もいる．
小学生レース 10km	10	小学4〜6年生男女	小学生のレース．子供達の熱い戦いに沿道からの観戦も楽しみの一つとなる．

表3　競技メニュー（サイクリング部門）

競技メニュー	走行距離(km)	参加対象	概要
サイクリング部門			
沖縄本島一周サイクリング（1泊2日）	336	高校生以上の男女で，平均時速25km以上で走行可能な方	沖縄本島を2日間かけて一周する，長距離サイクリストの憧れのコース．1日目は自然豊かなやんばるのアップダウンがあるタフなコースを，2日目は中南部をメインに沖縄の街やリゾート地の海外沿いなどバラエティに富んだコースを走ります．
やんばるセンチュリーライド	175	高校生以上男女	やんばるの自然あふれる海岸線を回るコースです．コース後半の東海岸はアップダウンが続き，走り応えがあります．また，大会初日（土曜日）の開催なので，日曜日に別種目にも参加できることも魅力です．
チャレンジサイクリング	100	高校生以上男女	名護市から東海岸線を南下し，阪神タイガース春季キャンプで使用している宜野座村営球場を通り，タコライス世界一のまち金武町・美しい海を眺めながら走る恩納村．アップダウンしながら醍醐味感を味わえる中級車に最適なロング系コースです．
恩納村ファミリーサイクリング	70	小学校1年生以上の男女	名護市からの恩納村にかけての美しい海岸線を走る恩納村ファミリーサイクリング．比較的フラットで，小さなお子様も走りやすいルートの設定となっています．名前のとおりファミリーで参加いただけるコースです．
伊是名島サイクリング（1泊2日）	60	小学校1年生以上の男女	伊是名島の雄大な景色，離島ならではの美しい海や，昔ながらの沖縄らしい街並みの中のサイクリングを楽しめる．
伊江島ファミリーサイクリング	50	小学校1年生以上の男女	伊江島の中央に立つ，美しいイイジマタッチュー（城山）を眺めながら走る日帰りコース．島の人々のあたたかい応援を受けながら，美しい自然の中を走ります．

ル・ド・おきなわは，競技メニューが非常に豊富です．競技者が参加するチャンピオンレースから，実力ある市民自転車愛好家（以降ホビーレーサーと記す）向けの長距離レース，観光要素の高いサイクリングまで幅広いのが特徴です（表1〜3）．多彩なメニューからコースが選べ，様々なレベルの仲間と一緒に参加できるレースであることから，ホビーレーサーの「甲子園」として注目のレースとなっています．

2．参加者が増加するツール・ド・おきなわ

　ツール・ドおきなわの過去の参加者数の推移をみてみると，多少の増減はありながらも右肩上がりに推移していることがわかります（図1）．第1回大会が1,397人であったのに対し，第29回大会では4,891人と約3.5倍に

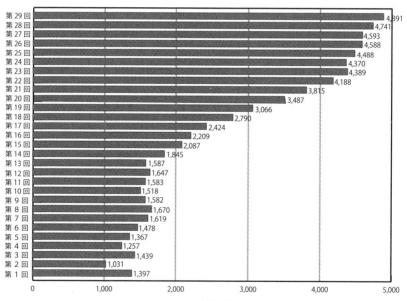

ＮＰＯ法人ツール・ド・おきなわ協会，2018　より

図1　参加者数の推移

増加しています．レース部門，サイクリング部門ともに参加者は増加していますが，最近 10 年では，一般のサイクリング部門参加者の増加が顕著です（図 2）．県外参加者も年々増加し，海外では台湾や香港などからの市民参加もあり，国内外で注目される大会となっています（図 3）．サイクルイベントランキングでは国内堂々の第 1 位（日本経済新聞），2014 年度の参加者数はシマノ鈴鹿ロードレース，富士ヒルクライムに続いて第 3 位を誇ります．ネット観戦者はジャパンカップに次いで第 2 位とその人気ぶりは数字にも表れています．

　サイクルイベントランキング 1 位と報じている日本経済新聞の記事では，「すべてのサイクリストにとって一度は挑戦したいあこがれの大会」（西田恵理子さん），「（沖縄本島）一周コースは苦しいが，完走したときの満足感はひとしお」（岩田淳雄さん），「閉会式後のパーティーには郷土料理が並ぶ」（竹

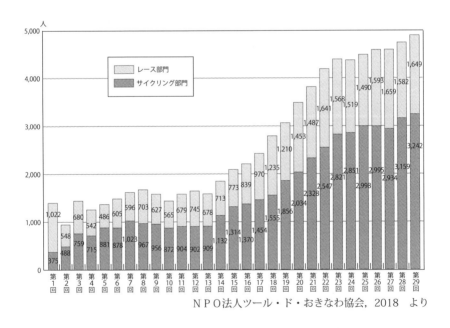

NPO法人ツール・ド・おきなわ協会，2018　より

図 2　部門別参加者数の推移

内繁雄さん）など，参加者の声を紹介しています．

　ここまでサイクリストを惹きつけるツール・ド・おきなわの魅力とは，いったいどこにあるのでしょうか．ツール・ド・おきなわの参加者増加要因について分析を行った江頭（2010）は，「競技メニューが多彩であることで，様々なニーズを持った参加者を集めることに成功し，ニーズの変化にも応えられる構造になっている」と指摘しています．他にも，「お試し」として容易なメニューを完走して，よりハードなメニューへの挑戦を考えている方（初参加者），毎年この大会でしか会わない人もいて，友人に会うことも楽しみになっている方（複数回参加者），また，仲間で参加者して，終わった後の「ふれあいパーティー」が楽しみという方（団体参加者）など，参加者へのインタビューからもわかる通り，様々なニーズに応えていることが人気の理由のようです．トップレベルの選手を間近に見られることも他の大会にはない特

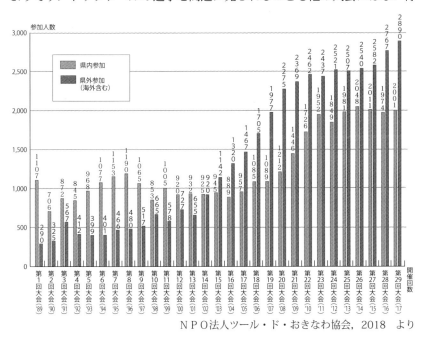

NPO法人ツール・ド・おきなわ協会，2018　より

図3　県内・県外参加者数の推移

徴で，ホビーレーサーにとっては大きな刺激となっているようです．

　第30回記念「TOUR DE OKINAWA2018」大会概要には，ツール・ド・おきなわの特徴・魅力として，「沖縄のチャンプルー文化が生み出した大型サイクルイベント」，「日本トップレベルのサイクルイベント」であることが挙げられています．「縦方向（走行距離）と横方向（レース，サイクリング，観光サイクリングなど志向の違い）に展開しており，日本国内でも希少な例」（江頭，2010）であることが成功の要因と考えられます．競技性と多様性を兼ね備えている，「チャンプルー」こそが最大の魅力といえるのかもしれません．事務局担当者によると，シーズンの締めの大会であることで，プロのレーサーはモチベーション高く大会に臨んでくるとのこと，また，市民レーサーにとっては，「沖縄行く？」が合言葉になっており，シーズンの最後は南国沖縄で締めることがパターンとなっているというお話をうかがうことができました．

写真1　ＮＰＯ法人ツール・ド・おきなわ協会撮影写真／市民レース部門

写真2　ＮＰＯ法人ツール・ド・おきなわ協会撮影写真／サイクリング部門

写真3　ＮＰＯ法人ツール・ド・おきなわ協会撮影写真／ＧＯ！Ｇ
Ｏ！三輪車レース

64

3．オリンピアンにとってのツール・ド・おきなわ

　ホビーレーサーの甲子園であるツール・ド・おきなわには，これまで多くのオリンピアンが参加しています．チャンピオンレースの歴代優勝者の一覧には，日本，海外のオリンピアンが名を連ねています（表4，5）．例えば，2008年の第20回大会では，地元沖縄県出身の新城幸也選手が優勝を飾りました．新城選手は，ロンドンオリンピック，リオデジャネイロオリンピックに出場しており，個人ロードレースで，それぞれ48位，27位の成績を収めました．新城選手と同じく，リオデジャネイロオリンピックに出場した

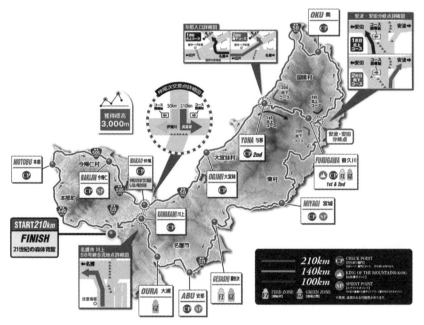

ツール・ド・おきなわ公式サイトより引用

図4　国際ロードレースのコース

県出身の内間康平選手もかつてツール・ド・おきなわに出場しました．内間選手は，「第28回ツール・ド・おきなわ２０１６大会」の開会式で，「美しい沖縄本島を舞台に今までの練習の成果をアタック（抜け出して勝負を仕掛けること）に変えて，楽しむことを誓う」と選手宣誓を行いました（琉球新報，2016）．

　事務局担当者に聞いた話では，かつてチャンピオンレースを３度制し，アテネオリンピックにも出場した香港の Worg Kam Po さんは，現在も香港のチームを率いてツール・ド・おきなわにやってくるとのことです．かつての選手が今度は指導者として選手を連れてくる大会になったというこの一点においても，トップ選手にとってツール・ド・おきなわがどれだけ重要な大会であるかが窺い知れます．Worg さんによると，210キロと他にはないような長距離コースのため，なかなかプラン通りにいかない．その中で様々な駆け引きがあり，そこがこのレースの醍醐味でもあるというようなお話をされたといいます．

　また，ツール・ド・おきなわは，10代の選手にとって，海外の力のある選手とレースができる貴重な機会にもなっているようです．日本に限らず，ツール・ド・おきなわを経験して力をつけていった若い選手が，2020年の東京オリンピック，次の2024年のパリオリンピックに出場することも十分に考えられます．そのような視点でツール・ド・おきなわを眺めてみるのも楽しいかもしれません．

　ツール・ド・おきなわに参加するのはオリンピック選手だけとは限りません．第30回大会（2018）には，パラリンピック日本代表としてリオ大会に出場した木村潤平選手（社会福祉法人ひまわり福祉会）が参加したことも話題に上りました（名護市広報，2018）。広報誌には木村選手がツール・ド・おきなわ史上初のハンドバイク選手としてチャレンジレースに出場したことが報じられています．「協会関係者のおかげでツール・ド・おきなわに参加できた．一般の方と走れるチャンスはなかなか無いのでとてもうれしい．ハンドバイクの速さをアピールしたかった．これからやりたい人のきっかけに

表4 国際レース歴代優勝者（男子チャンピオンレース 210km）

年度	名前	チーム	オリンピック出場経験
89年	大石一夫	ボスコ	
90年	三浦恭資	ＪＰＣＡ	ソウル,アトランタ,シドニー(コーチ)
91年	山田隆博	ＪＰＣＡ	
92年	Gianluca Tarocco	イタリアナショナル	
93年	山田隆博	ＪＰＣＡ	
94年	藤野智一	ＪＰＣＡ	バルセロナ
95年	Wong Kam Po	ホンコンナショナル	アテネ
96年	橋川 健	ＪＰＣＡ	
97年	藤野智一	ＪＰＣＡ	バルセロナ
98年	Wong Kam Po	ホンコンナショナル	アテネ
99年	Mark Walters	カナダナショナル	
00年	Wong Kam Po	ホンコンナショナル	アテネ
01年	飯島 誠	ラバネロ	シドニー, アテネ, 北京
02年	Redenbach Paul	ジャイアント ART	
03年	岡崎和也	日本舗道	
04年	Wong Kam Po	ホンコンナショナル	アテネ
05年	田代恭崇	アンカー	アテネ
06年	宮澤崇史	チームバンサイクリング	北京
07年	宮澤崇史	NIPPON-MEITAN	北京
08年	新城幸也	梅丹本舗 ＧＤＦ	ロンドン, リオデジャネイロ
09年	伊丹健治	ブリヂストン・アンカー	
10年	福島晋一	GEUMSAN GINSENG ASIA	
11年	盛 一大	愛三工業レーシングチーム	
12年	Palmer Thomas	ドラパックサイクリングチーム	
13年	初山 翔	ブリヂストン・アンカー	
14年	増田成幸	宇都宮ブリッツェン	
15年	Christie Jason	アバンティーレーシングチーム	
16年	増田成幸	宇都宮ブリッツェン	
17年	佐野淳哉	マトリックスパワータグ	
18年	Marangoni Alan	NIPPO・ヴィーニファンティーニ・エウローパオヴィーニ	
19年	増田成幸	宇都宮ブリッツェン	

表5　国際レース歴代優勝者（女子チャンピオンレース 100km）

年度	名前	チーム	オリンピック出場経験
89 年	Tubin Katrin	アメリカ	
90 年	Ruthe Matthes	アメリカ	
91 年	Karen Bliss	アメリカ	
92 年	Alessamdra Cappellot	イタリア	
93 年	Fadiana Luperini	イタリア	
94 年	Brroke Blackwelder	アメリカ	
95 年	Alison Dunlap	アメリカ	
96 年	堀ひろの	静岡県	
97 年	関家朋子	千葉県	
98 年	増地美穂	兵庫県	
99 年	Janneke Vos	オランダ	
00 年	沖　美穂	兵庫県	シドニー，アテネ，北京
01 年	森本朱美	鳥取県	
02 年	沖　美穂	兵庫県	シドニー，アテネ，北京
03 年	Moore Amy	カナダ	
04 年	Jun Young Kyoung	韓国	
05 年	I Fong Ju	CHINESE TAIPEI NATIONAL TEAM	
06 年	萩原麻由子	群馬県	ロンドン
07 年	Huang Xiao Mei	HONG KONG PRO CYCLING	
08 年	Tseng Hsiao Chia	CHINESE TAIPEI NATIONAL TEAM	
09 年	Wong Wan Yui Jamie	HONG KONG PRO CYCLING	
10 年	Small Cerman	JAMIS SUTTER HOME CYCLING	
11 年	Huang Ho Hsun	CHINESE TAIPEI NATIONAL TEAM	
12 年	與那嶺恵里	チーム・フォルツァ	リオデジャネイロ
13 年	Huang Dong Yan	ジャイアントプロサイクリング	
14 年	金子広美	イナーメ信濃山形	
15 年	Huang Ting Ying	CHINESE TAIPEI NATIONAL TEAM	
16 年	Huang Ting Ying	CHINESE TAIPEI NATIONAL TEAM	
17 年	Ellen van Dijk	W T C de Amstel	
18 年	與那嶺恵里	Wiggle High 5	リオデジャネイロ
19 年	Zeng Ke-Xin	CHINESE TAIPEI NATIONAL TEAM	

なれたら」と木村選手の声を紹介しています.

　ツール・ド・おきなわとオリンピックとの関わりについて言えば，2020東京オリンピック・パラリンピック競技大会組織委員会から，事務局に運営方法について問合せがあったという話も聞きました．ツール・ド・おきなわは沖縄県北部のやんばる地域を舞台に展開されていますが，コースは名護市だけでなく，複数の自治体を跨いで開催します．自治体を越えてイベントを開催することは管轄が変わるため，容易ではありません．第1回から大会実行委員長を務める森兵次さんをはじめ，大会関係者が苦労を重ねて「やんばるはひとつ」という枠組みを作り上げてきた功績といえます.

4．ツール・ド・おきなわのレガシーとこれから

　令和初となった第31回ツール・ド・おきなわは，2019年11月9日と10日に成功裏に終わりました．男子チャンピオンレース210キロは，2014，16年大会を制した増田成幸選手（宇都宮ブリッツェン）が3度目の優勝を果たしました．県勢期待の内間康平選手（チーム右京）が2位に入る健闘を見せました．内間選手は，「食らいついたがやっぱり離された．またやられた.」,「やっぱり1位になりたかった.」と悔しさを滲ませながらも，「できることは全てやり尽くした．とにかく後悔が何もないレースができたのはよかった」と前を向きました（沖縄タイムス，2019）．女子国際100キロでは，台湾のゼン・カーシン選手が2008年以来の頂点に輝きました.

　これまで見てきた通り，ツール・ド・おきなわは，「やんばるはひとつ」を組織，維持する装置としても重要な役割を果たしていることがわかります．事務局担当者は大会運営が成功する要因について，真っ先に「ボランティアの力」と話されました．地域の方がボランティアとして積極的にサポートしていただけることがこれだけ大規模な大会を運営できる大きな要因のようです.

　大会実行委員長の森兵次さんの対談記事によると，当初は，「過疎化がひ

どかった沖縄北部の活性化，地域振興がねらいでした」（cyclowired.jp）とあります．今では，ツール・ド・おきなわがやんばるの人々にとって「文化」として根付いているように感じられます．ボランティアを含めた大会運営・組織体制こそが，ツール・ド・おきなわのレガシーということが言えそうです．ただし，その根底には，良いものはなんでも取り入れる沖縄の「チャンプルー文化」が横たわっていることも見逃せません．参加者のニーズを取り込み，工夫しながら一つ一つ対応してきた大会関係者の努力，そして，それを良しとして受け容れたやんばるの懐の深さが唯一無二の大会を創り上げたと言うと言い過ぎでしょうか．

　大会実行委員長の森さんは，ツール・ド・おきなわの今後について，「沖縄という地理的条件，海外からの飛行機の乗り入れも多いので，それを活かして市民レースの国際化を進めていくのも良いかなと考えています」（cyclowired.jp）と話しており，「ホビーレースも世界と結びつけることで良い目標になるのではと思っています」とその先を見据えています．進化し続けるツール・ド・おきなわのこれからに目が離せません．

参考引用文献

cyclowired．ツール・ド・おきなわ30周年　森兵次氏が語る３０周年のツール・ド・おきなわ　市民210kmレース優勝候補者たちが対談，https://www.cyclowired.jp/news/node/275162?fbclid=IwAR3bYKtB8PNvgSaUOfTWxsTRCi_BcOm5X1AdNCfA4mD7eTbDjaIsn29qqxY/（参照日2018年10月30日）．

江頭満光（2010）「ツール・ド・おきなわ」参加者増加要因に関する研究：沖縄チャンプルーモデル．尚美学園大学総合政策研究所紀要，19：29‐50．

名護市広報（2018）市民のひろば12月号

日本経済新聞．初心者も快走　サイクルイベント10大会をチェック，https://style.nikkei.com/article/DGXKZO12707560Z00C17A2W01001?channel=DF290120183394/（参照日2018年10月30日）．

NPO法人ツール・ド・おきなわ協会（2018）第30回記念「TOUR DE OKINAWA2018」

大会概要資料.

沖縄タイムス（2109）11 月 11 日　朝刊.

ツール・ド・おきなわ公式サイト．http://www.tour-de-okinawa.jp/index.html/（参照日
　　2019 年 11 月 12 日).

琉球新報（2016）11 月 13 日　朝刊.

あとがき

　多くの偶然が重なり，2015 年に沖縄での生活をスタートさせました．こ
れまで私は，バスケットボールやトライアスロンに取り組んできた経験から，
沖縄はバスケットボールが盛んであるという点や，宮古島・石垣島トライア
スロンといった魅力に富んだ大会が存在するという認識は持っていました．
また，プロボクシングにおいて世界タイトルを 13 度防衛した具志堅用高氏
や，自転車ロードレースの最高峰の大会であるツール・ド・フランスやジロ・
デ・イタリアに日本人として初めて完走した新城幸也氏に代表されるように，
卓越したアスリートを輩出しているという認識も持っていました．しかしな
がら，その他の沖縄におけるスポーツ事情については無知でした．それまで，
少なくない時間をスポーツ文化の研究に費やしてきましたが，沖縄における
スポーツについての見識はないに等しいものでした．そのような中，2017
年に刊行された『やんばるとスポーツ』において，戦後のやんばるにおける
スポーツの歴史について執筆を依頼されることになりました．無知からのス
タートでしたが，執筆作業を通して，戦後のやんばるにおけるスポーツの歴
史についての代表的な事例について知ることになりました．代表的な事例で
ある 1964 年の沖縄での聖火リレーが，本書の主要な内容となりました．

　スポーツ文化の研究においては，「スポーツは社会を映し出す鏡」である
と指摘されることがあります．1964 年の沖縄での聖火リレーは，当時の沖
縄がおかれた社会情勢を如実に映し出した鏡でした．一方で，「スポーツは
社会を映し出す鏡」であるだけでなく，スポーツには社会と異なる力学も存
在し，その点が社会に対して大きな影響力を与えることもあります．しかし
ながら，必ずしも社会に対して良い影響を与えるとは限りません．本書では，
沖縄の聖火リレーや「ツール・ド・おきなわ」といった，スポーツやオリン
ピックにおける正の側面だけでなく，スポーツやオリンピックによって生み

出される負のレガシーについてもふれました．スポーツやオリンピックの負
の側面から目を逸らさずに向き合うことは，スポーツ関係者に今後より一層
求められる姿勢であると考えます．

　そして本書は，スポーツやオリンピックという観点から，やんばるを再考
する試みでもありました．本書から，やんばるの人々がオリンピックをこれ
までと異なる視点から見るきっかけとなり，また，読者諸氏のやんばるに対
する新たな視座の獲得に寄与するものになるならば，編者・著者一同，望外
の喜びです．

大峰　光博

著者紹介

編者・序章〜3章執筆

大峰 光博　おおみね・みつはる

名桜大学　人間健康学部　スポーツ健康
学科・准教授

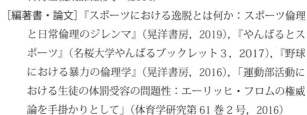

[学歴] 早稲田大学大学院スポーツ科学研究
　　　科博士後期課程修了（2014）

[編著書・論文]『スポーツにおける逸脱とは何か：スポーツ倫理
　　　と日常倫理のジレンマ』（晃洋書房，2019），『やんばるとス
　　　ポーツ』（名桜大学やんばるブックレット3，2017），『野球
　　　における暴力の倫理学』（晃洋書房，2016），「運動部活動に
　　　おける生徒の体罰受容の問題性：エーリッヒ・フロムの権威
　　　論を手掛かりとして」（体育学研究第61巻2号，2016）

[受賞] 日本体育学会浅田学術奨励賞（2016），日本体育・スポー
　　　ツ哲学会奨励賞(2014)，日本スポーツ教育学会奨励賞(2012)

4章執筆

神谷 義人　かみや・よしと

名桜大学　人間健康学部　スポーツ健康
学科・助教

[学歴] 早稲田大学大学院人間科学研究科修
　　　士課程修了（2005）

[編著書・論文]「身体活動・運動アドヒアランス強化に関する心理・
　　　行動科学的研究」―第3報―「2－7 成人における身体活
　　　動実施の関連要因―生態学的視点から―」（平成15年度 日
　　　本体育協会スポーツ医・科学研究報告，2003），「ゆいまー
　　　るを活用した沖縄型ヘルスプロモーション」（日本保健医療
　　　行動科学会雑誌第33巻2号，2018）

名桜大学やんばるブックレット シリーズ

1 文学と場所

〈切っ先〉としての「やんばる」／土地に寄り添う文学の力／「やんばる」で詩作をするということ／やんばるから『おもろさうし』を切りひらく／やんばるの琉歌／日本古典文学と「やんばる」／やんばるは小説家の宝庫だ／やんばると短歌

2 やんばるとスポーツ

戦後の沖縄スポーツ／やんばるにおける陸上競技の歴史／やんばるにおけるマリンスポーツの歴史／やんばるでのマリンスポーツ：帆かけサバニ／やんばるとバスケットボール：辺土名旋風／やんばるの海洋教育／やんばるとゴルフ／やんばるにおける名桜大学の健康長寿サポート　ほか

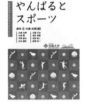

3 やんばると台湾

やんばる・パイナップル・台湾―"日本一のパイナップル村"東村と宮里松次・ミエ子夫妻―
やんばる・人形劇・台湾―名護・屋我地島から新たな沖縄文化を発信する桑江純子―

4 やんばると観光

やんばると観光／北部地域における観光の現状と全体像／やんばるの観光と沖縄国際海洋博覧会のインパクト／"やんばる"のマングローブ／やんばるの自然環境観光資源の管理・保全」における課題／文化遺産と観光ボランティアガイド

別冊1　沖縄／日本の文化・社会・共同体と国際環境

別冊2　子どもの貧困問題と大学の地域貢献

名桜大学やんばるブックレット・5

やんばるとオリンピック

2020 年 4 月 3 日　初版第 1 刷発行

編　者　大峰光博
発行所　名桜大学
発売元　沖縄タイムス社
印刷所　光文堂コミュニケーションズ

ISBN978-4-87127-695-5 C0375

『やんばるブックレット』シリーズ刊行に際して

グローバリゼーションと呼ばれる現象は、人々の想像や想定をはるかに超える速さと広がりの中で私たちの生活を変えてきています。「やんばる」でも、グローバル化の波が足元まで押し寄せ、社会や歴史や文化を新たな視点から見直し、二十一世紀の新しい生き方を考えざるを得なくなってきました。名桜大学『やんばるブックレット』シリーズ刊行の背景には、このような時代の変容が横たわっています。

二十一世紀の沖縄はどこに向かうのか。どのような新しい生き方が私たちを待っているのか。沖縄北部を斬新な切り口から見つめ直すことで、沖縄や日本全体の未来が見えてこないか――。本ブックレットシリーズには人間の生き方を根源から問い直してみようという思いも込められています。

なによりも、新しい時代にふさわしい「やんばる像」（＝自己像）を発見し、構築しようという思いから本シリーズは刊行されることになりました。Edge ＝ 「辺境」ではなく、cutting edge ＝ 「最先端」、「切っ先」としての「やんばる」を想像／創造してみたいと思います。名桜大学のブックレットシリーズが新たな未来と希望につながることを願っています。

二〇一六年　名桜大学学長　山里勝己